D1082637

LE DRAGON BLEU

Pour Siloé.
A. C.

À Anne, qui a si bien donné vie
aux Kinra Girls.
M.

NOUS SOMMES TOUS DIFFÉRENTS, DONC TOUS EXCEPTIONNELS.

PROVERBE ARAMÉEN

Qu'as-tu pensé de cette aventure des Kinra Girls ?
Donne ton avis sur http://enquetes.playbac.fr en entrant
le code 650846. Inscris-toi sur la plateforme Play Bac
et gagne de nombreux livres et jeux de notre catalogue
en cumulant des points.

Éditions Play Bac, 33, rue du Petit-Musc, 75004 Paris ; www.playbac.fr

LE DRAGON BLEU

MOKA

ILLUSTRATIONS
ANNE CRESCI

playBac

kinra girls

IDALINA

KUMIKO

Kumiko est japonaise. C'est une peintre talentueuse, qui aime aussi la photo et la mode.

Idalina est espagnole. Elle joue de la guitare et c'est une superbe chanteuse de flamenco.

NAÏMA

RAJANI

ALEXA

Naïma est afro-américaine. Son père est américain et sa mère vient d'Afrique. Le cirque est sa passion.

Rajani est indienne. Elle adore danser, surtout les danses traditionnelles de son pays.

Alexa est australienne. Elle monte à cheval et souhaite devenir championne d'équitation.

MICKAEL

JOHN

JOHANNIS

Amis
des Kinra Girls

NASSIR

LOUISE

SINGRID

TONINO
ex-amoureux d'Idalina

RUBY

MICHELLE

Ennemies
des Kinra Girls

JENNIFER

M. MEYER
le directeur

MISS DAISY
l'assistante
du directeur

MME BECKETT
le professeur
d'anglais

MAÎTRE WANG
le professeur
de dessin

**SIGNORA
DELLA TORRE**
le professeur
de chant

MME JENSEN
le professeur
de danse

M. RAMOS
le professeur
de guitare

EMMA
l'infirmière

LUIGI
le chef cuisinier

RAINER
le professeur
d'équitation

M. BROWN
le professeur
de mathématiques

L'opéra du Dragon bleu

ZONG LIU
directeur du théâtre

MIFEI
femme de Zong Liu

TSOU-FÔU
singe de la troupe

Chapitre 1
Soucis

J azz agita la queue et attendit sa
récompense. Alexa se pencha vers
lui et lui caressa la tête. Le labrador
aimait beaucoup ce petit jeu qui s'appelait
« chercher la fille ». Naïma croisa les bras
et regarda vers le ciel. Dans les branches
de l'arbre se cachait Singrid Bergström[1].

– Allez, descends maintenant !
ordonna Alexa.

Singrid fronça le nez et prit un air buté.

1. *Voir le tome 9,* Sur la piste du trésor. *Singrid Bergström
est l'arrière-petite-fille du fondateur de l'Académie Bergström.
Elle est arrivée à l'Académie à la suite de la mort de sa maman.*

– Tu ne peux pas t'enfuir tout le temps, dit Rajani. Et nous, on ne peut pas passer nos journées à te courir après !

– Si au moins tu choisissais les jours où il ne pleut pas, râla Naïma. On va finir par attraper la crève !

– On a cours d'anglais dans dix minutes, remarqua Idalina.

Mme Beckett sera fâchée si on arrive
encore en retard à cause de toi !

– Alors, vous n'avez qu'à me laisser !
rétorqua Singrid.

– Tu n'as pas entendu ce que t'a dit
M. Meyer ? répondit Rajani. Si tu
continues comme ça, le directeur n'aura
pas d'autre choix que de te renvoyer
chez toi. Tu es sûre d'en avoir envie ?

Singrid se mordilla la lèvre inférieure.
Rentrer chez elle ? Dans une maison où
la tristesse régnait depuis que sa maman
était morte ? Non, elle n'en avait pas envie.
Mais Singrid était du genre têtu. Elle ne
voulait pas céder.

– Très bien ! déclara Alexa. Comme
il te plaira ! Nous, on s'en va !

Elle fit mine de s'éloigner de quelques pas.
Jazz parut surpris. Normalement, une fois
qu'il avait trouvé la fille, celle-ci repartait

en compagnie de ses amies. Naïma fit une dernière tentative.

— Il y a de la mousse au chocolat pour le déjeuner…

— Je déteste le chocolat ! cria Singrid.

Naïma resta bouche bée. Ne pas aimer le chocolat, ce n'était pas possible, ça !

— On devrait demander au chef Luigi de préparer du rôti de phoque, ricana Alexa. C'est bien le plat national suédois ?

— Ça ne va pas, non ? hurla Singrid. On ne mange pas ça dans mon pays ! Et puis, je suis végétarienne !

— Tiens ? fit Alexa. Moi aussi ! Pas question que je mange des animaux, moi !

— Moi pareil, répondit Singrid en descendant de son arbre.

Rajani dissimula son sourire. Gagné… enfin, ce coup-ci. En repartant vers l'école, Alexa ronchonna : toujours pas de neige et rien que de la pluie, de la pluie, de la pluie !

Les promenades dans la forêt avaient été interdites par le directeur. La rivière était en crue et le danger était bien réel. Pour tout arranger, les travaux dans le château avaient pris du retard et les échafaudages bloquaient le passage vers la buanderie. Impossible de descendre dans les souterrains ! C'était rageant car il y avait encore un tunnel et cinq salles à explorer[2]. Et peut-être d'autres merveilles à découvrir...

La matinée se déroula sans surprise, aussi monotone que le gris du ciel. La mousse au chocolat remonta le moral des Kinra Girls. Et comme tous les jours de semaine, les filles se séparèrent après le déjeuner.

En se dirigeant vers sa salle de classe, Kumiko songeait avec tristesse à Singrid. La Japonaise n'osait même pas imaginer ce qu'elle ressentirait si elle perdait sa maman

2. Voir les tomes précédents.

ou son papa. Brusquement, elle s'arrêta
au milieu du couloir. Elle-même avait été
adoptée[3]. Kumiko ne savait rien de ses vrais
parents. Pourquoi l'avaient-ils abandonnée ?
Étaient-ils encore vivants ? Qui étaient-ils ?
Où vivaient-ils ? Comment les retrouver ?
Kumiko n'avait presque aucune piste hormis
un vieux carnet de dessins et un poème.
Mme Beckett, le professeur d'anglais, lui
avait appris que l'auteur du poème était
Chang Chiu-ling. Ce qui était très étonnant
car il était chinois ! Ce poète avait vécu au
VIIIe siècle, alors on ne pouvait plus lui poser
de questions ! L'énigme restait entière.
Sur le pas de la porte de l'atelier de dessin,
Maître Wang lui adressa un petit signe
de la main pour l'inviter à se presser.
Kumiko se dépêcha de rejoindre sa place.
Maître Wang était un peintre célèbre et
on lui devait le respect. C'était aussi un

3. *Voir le tome K,* Le Secret de Kumiko.

professeur bienveillant, toujours de bonne humeur, même quand il se montrait exigeant. Il obtenait le meilleur de ses élèves car ceux-ci ne voulaient surtout pas le décevoir. Tout le monde l'adorait, Kumiko en particulier.

– Chers disciples, dit Maître Wang, vous n'ignorez pas que, dans mon pays, la calligraphie[4] est un art à part entière. C'est pourquoi, ces dernières semaines, vous avez beaucoup travaillé sur les idéogrammes[5] chinois. Mon but était de vous apprendre à exécuter un dessin avec vivacité, à penser avant de faire, à utiliser le souffle et le rythme pour diriger la main. Cet apprentissage demande du temps et de la patience et parfois, sans doute, vous vous êtes un peu ennuyés. Mais le résultat, je le vois

4. *Calligraphie : art de bien former les signes d'écriture.*

5. *Idéogramme : signe d'écriture de certaines langues, comme le japonais et le chinois. Chaque signe (ou dessin) représente un mot et non un son.*

dans vos plus récentes productions. Vous avez gagné en assurance, votre trait est précis et exprime votre personnalité.

Je salue votre travail qui honore le modeste professeur que je suis.

Tous les élèves affichèrent un grand sourire. Y avait-il un homme plus merveilleux que Maître Wang ? Le monde entier connaissait ses œuvres et c'était lui qui s'inclinait devant des enfants !

— Nous allons passer à un autre exercice, continua Maître Wang. En Chine, on commence toujours par l'étude des rochers et des arbres. L'immense peintre Kung Hsien a écrit : « Un rocher doit être vu non seulement de trois côtés mais même de dos. »

— De dos ? murmura Kumiko, interloquée.

Maître Wang acquiesça, une lueur amusée dans les yeux.

– Oui, oui ! On doit « voir » ce qui est invisible. Un dessin est plat et pourtant il peut vous donner l'impression du relief si vous savez utiliser la perspective, le vide et le trait. Vous allez donc dessiner des rochers. Peut-être ne trouvez-vous pas ce sujet très intéressant...

Mais écoutons encore Kung Hsien :

« Un rocher a son visage, ses épaules, son ventre, ses pieds : il peut incarner par là toutes les attitudes humaines. »

Les élèves restèrent bouche bée. Il était impossible, cet exercice ! Maître Wang rit de leur stupéfaction.

– Un paysage est un portrait, expliqua-t-il. Le peintre y met ses rêves, ses souvenirs et ses pensées. Un arbre paraît serein ou triste. Une montagne semble paisible ou, au contraire, hostile et dangereuse. Vous ne devez pas vous contenter de représenter, vous devez vivre et ressentir ce que vous peignez. Alors votre rocher devient vivant tout autant qu'une personne.

Un paysage est un portrait... Kumiko tournait et retournait la phrase dans sa tête. Et si l'auteur des dessins dans son gros carnet rouge était chinois ? Alors, tous ces paysages pourraient être... le portrait du peintre ! Voilà qui offrait sérieusement à penser. Quel sens donner à une rivière, à une pagode ou à une fleur de prunier ? Une cascade signifiait-elle la joie ou le chagrin ? Un oiseau sur une branche chantait-il l'arrivée du printemps ou la fin de l'été ? Comment décrypter cet étrange code afin de découvrir l'identité du peintre ? Maître Wang pourrait sûrement l'aider à comprendre, il savait tant de choses ! Mais Kumiko n'était pas prête. Il lui était toujours difficile de se confier. Même à ses meilleures amies, elle avait longtemps caché qu'elle avait été adoptée. Et ce secret faisait encore mal.

Chapitre 2
Ah, ce que c'est bon d'être célèbre !

Dès la fin des cours de l'après-midi, les Kinra Girls se retrouvèrent dans la salle multimédia. Avec ce sale temps, personne n'avait envie de traîner dehors. Et puis, les filles avaient trouvé un moyen de se distraire : elles cherchaient sur Internet les articles qui les concernaient. Car elles étaient devenues célèbres grâce à la découverte du trésor[6] !

6. *Voir le tome 9,* Sur la piste du trésor. *Les Kinra Girls ont découvert un lion mécanique à l'intérieur duquel se trouvaient une rose en or et des pierres précieuses.*

– Chouette, il y en a un nouveau !
s'écria Alexa qui maniait la souris
de l'ordinateur.

Elle se mit à grogner en lisant le premier
paragraphe.

– Oh, zut… Il y a écrit « Alexia ». Ils ont
encore ajouté un i à mon prénom…
Alexa, ce n'est pas compliqué, non ?

– Te plains pas, répondit Idalina. Moi, j'ai
droit à Adalina, Adeline, Idelina,
Adaline… Ce n'est jamais la
bonne orthographe ! On
l'imprime quand même ?

– Évidemment ! dit
Kumiko. Ça en fait un
de plus pour mon book !
La Japonaise avait
entrepris de coller
tous les articles
dans un classeur.

Elle décorait chaque page avec des gommettes de couleur, des tampons qu'elle fabriquait elle-même dans des gommes, des petits dessins rigolos, des photos... Une véritable œuvre d'art ! Ruby entra dans la pièce, flanquée de ses deux inséparables copines. Elle fit la grimace en apercevant les Kinra Girls. C'était terriblement injuste que celles-ci soient récompensées pour leurs bêtises !

Ah, bien sûr, comme Singrid Bergström était avec elles, elles avaient échappé à la punition qu'elles méritaient. Ruby était persuadée qu'on l'aurait renvoyée, elle, si on l'avait surprise en train de se promener au milieu de la nuit. Ruby était rongée par la jalousie.

Alexa, que la modestie n'étouffait pas, héla Michelle, sa colocataire.

– Hé ! Mimi ! Viens voir ! On parle encore de nous sur le Web !

Michelle prétendit ne pas l'entendre et suivit Ruby et Jennifer jusqu'à la table la plus éloignée de celle qu'occupaient les Kinra Girls. Déjà qu'Alexa lui cassait les pieds depuis des jours avec cette histoire de trésor, en plus elle avait le culot de l'appeler Mimi ! Michelle était aussi verte que son pull en s'asseyant près de Jennifer.

– T'exagères, commenta Rajani.

– J'adore titiller Michelle, rétorqua Alexa. C'est marrant.

– Et pas très malin, dit Naïma. À force, tu vas réellement l'énerver et elle pourrait essayer de se venger.

– Je lui souhaite bonne chance ! rigola Alexa.

Michelle ne rêvait pas de vengeance. Mais Ruby, si... D'autant plus qu'elle en voulait à Rajani de lui avoir « volé » le rôle de la princesse dans *Aladin,* leur spectacle de fin d'année. On lui avait donné celui de l'épouse du sultan, une véritable insulte ! C'était elle, la meilleure danseuse ! Rajani était la chouchoute de Mme Jensen, le professeur de danse, c'était la seule explication. Ruby se pencha en avant pour parler en confidence à ses deux complices.

– Tout ça n'est pas très clair... dit-elle.

– Quoi ? demanda Jennifer.

– Le trésor, voyons ! Elles l'auraient

découvert presque par hasard... Vous y croyez, vous ? Et toi, Michelle, comment ça se fait que tu n'aies pas remarqué que ta coloc était sortie ?

– Ben, je dors, moi, la nuit ! répliqua Michelle.

– Il faut que tu la fasses parler, décida Ruby.

– Qui ? fit Jennifer.

Ruby leva les yeux au ciel. Mais qu'elle était bête, celle-là !

– Alexa, qui d'autre ? Elle n'arrête pas de se vanter, cette crâneuse. Si tu la flattes, Michelle, elle va tout te raconter. Je suis certaine qu'elle en meurt d'envie !

– Heu... je ne suis pas sûre... hésita Michelle.

– Je te dis qu'elle n'attend que ça ! affirma Ruby. Elles cachent quelque chose, ces filles, et je veux savoir ce que c'est !

Les Kinra Girls étaient bien loin d'imaginer
ce qui se tramait du côté des pestes. Elles
s'amusaient à lire et à relire leurs « exploits »
sur Internet.

– Mon classeur est bientôt plein, dit
Kumiko avec satisfaction. Il va m'en
falloir un deuxième si ça continue !

– Maman m'a envoyé un article d'un
journal de chez nous, répondit Alexa.
Je suis devenue la gloire locale !
Si tu veux, je t'en ferai une copie.

Kumiko acquiesça. Puis Rajani éteignit
l'ordinateur et les cinq filles montèrent
dans la chambre 325 pour faire leurs devoirs
ensemble. Avant le dîner, Alexa regagna
sa chambre pour y déposer son sac.
Michelle travaillait sagement à sa table.
Elle se retourna en entendant sa colocataire
entrer. À la grande surprise de celle-ci,
Michelle lui tendit quelques feuilles de papier.

– Tiens, je t'ai imprimé ce que j'ai trouvé sur Léonard de Vinci dans une encyclopédie en ligne. On y parle des automates qu'il a inventés. J'ai pensé que ça t'intéresserait.

Alexa la regarda avec des yeux ronds.

Ce n'était vraiment pas le genre de Michelle de faire preuve de gentillesse !

– Ah... euh, merci... C'est sympa.

Elle prit les feuilles et les parcourut rapidement.

– À ton avis, le lion de la bibliothèque a été fabriqué par Léonard de Vinci ? demanda Michelle.

– Paraît que non, d'après les spécialistes. Il semblerait qu'il date quand même de son époque. On ne sait pas qui a utilisé les plans dessinés par Léonard... Tiens, ça, c'est drôle ! Je viens juste de remarquer que dans Léonard, il y a Léo... Lion en latin !

Michelle éclata d'un rire forcé.

– Oh oui ! Ça, c'est vraiment amusant !
Alexa leva un sourcil interrogateur.
Décidément, sa coloc se comportait d'une
manière étrange. Qu'avait-elle derrière la tête ?

– Ma mère n'arrête pas de me poser des
questions, continua Michelle sur un ton
plus sérieux. Tu comprends, l'école est
devenue célèbre dans le monde entier,
alors comme je suis une élève ici, pour
ma mère, c'est comme si c'était moi qui
avais découvert le trésor !

– L'Académie Bergström n'avait pas
besoin de ça pour être connue.

– Oui, enfin… Là, c'est exceptionnel !
Mon problème, c'est que je ne sais pas
trop quoi répondre à ma mère. Elle veut
que je lui donne tous les détails ! Allez,
raconte-moi ! Comment vous avez eu
l'idée de chercher dans la bibliothèque ?

– On l'a déjà dit cent fois ! répliqua

Alexa. Naïma a cassé un tableau accidentellement et, en le réparant, on a vu qu'il y avait une rose au dos de la toile et on s'est souvenu qu'il y avait une fleur identique sur un des panneaux derrière les livres. Alors, évidemment, on s'est demandé si ce n'était pas un indice. C'est Singrid qui nous a persuadées d'y aller pendant la nuit pour vérifier. Et voilà !

Le visage de Michelle se ferma. Ce n'était pas du tout ce qu'elle espérait entendre.

– Oui… ça, c'est l'histoire officielle… Mais en vrai ?

– Quoi ? Tu crois qu'on a menti ?

– Non, non ! dit précipitamment Michelle. C'est juste un peu décevant. J'aurais aimé plus de… d'action, davantage de… mystère.

Alexa prit sa chaise et la retourna pour s'asseoir face à Michelle. Elle adopta la voix

sourde de quelqu'un sur le point de faire
des confidences.

– Tu ne le répéteras à personne ?
Pas même à ta mère ?

– Non, non, promis, juré, chuchota
Michelle.

– C'est le chat fantôme… murmura Alexa.
On l'a suivi jusqu'à la bibliothèque et là,
il nous a parlé en latin. On ne comprenait
rien et ça l'a énervé, alors il a essayé
en allemand et puis en russe, mais on
ne comprenait toujours pas, alors il a
dit « miaou » !

Elle afficha un grand sourire. Michelle cligna les paupières à plusieurs reprises.

> – Ah bah non, au fait ! continua Alexa.
>
> Ça, c'est le rêve que j'ai fait la semaine dernière ! Je confonds tout !

Elle consulta sa montre et se leva.

> – Bon, c'est l'heure de la promenade de Jazz. À plus !

Elle sortit de la chambre, laissant Michelle absolument furieuse d'avoir été ainsi menée en bateau.

Chapitre 3

Carottes râpées
ou scorpions frits ?

L e cours de Mme Beckett était beaucoup plus amusant depuis la semaine précédente. Au lieu d'étudier la grammaire et les textes littéraires, les élèves s'adonnaient à un autre genre d'exercice. Ils écrivaient des chansons ! Leur spectacle de fin d'année était une pantomime, une pièce où les acteurs jouent sans parler, mais qui mêle danse, chant et acrobaties. Il était prévu que le personnage

de Shéhérazade serait le seul à chanter.
Les musiciens de la classe avaient la lourde
charge d'inventer les mélodies avec l'aide
de leurs différents professeurs. Ces mêmes
élèves devraient ensuite accompagner
Idalina, qui tenait le rôle de Shéhérazade,
pendant la représentation. Comme ils
n'étaient pas assez nombreux, leurs
professeurs joueraient également dans
le petit orchestre.

Les élèves étaient particulièrement excités,
ce matin-là. Mme Beckett avait quelques
difficultés à obtenir le silence. En même
temps, elle appréciait leur enthousiasme…
mais il fallait éviter les débordements.

    – Mickael, assis ! cria Mme Beckett.

    – Pourquoi c'est toujours moi qui prends ?
répondit celui-ci.

Le regard sombre que lui jeta Mme Beckett
l'incita à s'asseoir précipitamment.

La classe avait été divisée en six groupes car
la pantomime était composée de six tableaux.
Chaque groupe était constitué de trois
ou quatre élèves. Les Kinra Girls avaient,
évidemment, espéré rester ensemble. Hélas,
ce n'était pas possible. Rajani fut victime de
ses bonnes notes. Mme Beckett avait décidé
qu'elle travaillerait avec Louise et John, qui
n'étaient pas les meilleurs en anglais, loin de
là… Rajani hérita aussi de Singrid parce que
Mme Beckett ne savait vraiment pas quoi
faire de la petite Suédoise. Singrid gardait
obstinément la tête baissée, au fond de la
salle. Du moins quand elle ne s'enfuyait pas
dans la forêt ! Singrid refusait de participer
au cours et ne rendait pas non plus ses
devoirs. M. Meyer l'avait pourtant prévenue :
si elle continuait comme ça, il n'y aurait plus
d'autre solution que de la renvoyer chez
elle. Mme Beckett avait bien remarqué que

Singrid se laissait peu à peu apprivoiser par les Kinra Girls. D'où son idée de la confier aux bons soins de Rajani.

Le calme revenu, tout le monde se mit… à discuter. Au début, chacun s'efforçait de parler à voix basse. Mais bientôt des rires fusèrent. Le brouhaha devint général… jusqu'à ce que le professeur de la classe d'à côté entre pour se plaindre. Confuse, Mme Beckett lui présenta ses excuses (ce que Mickael trouva très drôle).

— Hum… fit le professeur. Bon, nous allons nous arrêter là. De toute façon, il est presque l'heure. Et j'ai une nouvelle à vous annoncer. Grâce à Maître Wang, une compagnie de théâtre chinoise va nous rendre visite. Elle s'appelle Le Dragon bleu. Vous assisterez à une représentation de l'opéra *Le Roi singe.*

— Un opéra ? répéta Idalina. Comme

Carmen de Bizet ou *La Flûte enchantée*
de Mozart ?

– Non ! répondit Mme Beckett en riant.
Un opéra chinois est très différent.
Les acteurs parlent et chantent mais
dansent aussi, jonglent et font des
acrobaties ! Il y a peu de décors mais
les costumes, les maquillages et les
gestes ont une grande importance.
Ils forment une sorte de code,
de langage en eux-mêmes.

– Est-ce que c'est comme le théâtre nô
qu'on a vu au Japon[7] ? demanda Naïma.

– Non, néanmoins tu as raison de faire
la comparaison. Dans le théâtre nô, tout
est également codifié. J'ai le souvenir
que vous vous étiez plutôt ennuyés…
Je vous rassure, vous trouverez notre
opéra chinois nettement plus amusant !
Ruby leva la main avant de prendre la parole.

7. *Voir le tome 5,* Destination Japon.

– Je connais l'Opéra de Pékin, dit-elle avec un petit air de supériorité.

– C'est en effet l'un des plus célèbres, acquiesça Mme Beckett. Avec l'Opéra de Canton. La troupe que nous allons rencontrer a beaucoup de choses à vous apprendre. Cela vous sera fort utile pour votre pantomime.

Elle consulta sa montre avant de donner l'autorisation aux élèves de quitter la salle de classe. En descendant au réfectoire, Idalina et Rajani comparèrent le travail de leurs groupes respectifs. Rajani se désolait d'être séparée de ses amies. Louise et John étaient de bonne volonté, mais ils n'étaient pas doués pour la poésie. Et pas la peine de compter sur l'aide de Singrid… Rajani avait l'impression de travailler toute seule. Dans l'escalier, Idalina se retourna en entendant rire Alexa.

– Naïma vient d'avoir une idée géniale !
déclara Alexa. On devrait suggérer au
chef Luigi de nous préparer des plats
chinois !

– Je suis persuadée que le chef sera
d'accord, affirma Naïma. Il est toujours
ravi de nous faire découvrir la cuisine
d'autres pays !

– C'est sûr que ça nous change des
carottes râpées, répondit Rajani.

À la traîne, Kumiko restait bien
silencieuse. Elle repensait à ce
qu'avait dit Mme Beckett à propos
de l'opéra. Et aux explications
de Maître Wang. La peinture
chinoise avait aussi un code,
difficile à déchiffrer
à moins de l'avoir étudiée
des années durant. Kumiko
eut soudain la certitude

40

que l'auteur des dessins du gros carnet
rouge était bien originaire de Chine. Et
il avait sans aucun doute lui aussi suivi les
règles auxquelles tous les peintres chinois
obéissaient depuis des siècles. Pourquoi
la personne qui avait abandonné le bébé
Kumiko dans le sanctuaire des Renards
avait-elle déposé le carnet rouge dans
son panier ? Parce qu'il y avait un message
caché dans les dessins, c'était évident !
Kumiko fut sortie de sa rêverie par Rajani
qui la priait de se presser. Elle lui sourit
et allongea le pas pour rattraper ses
camarades.

Dans la file d'attente devant le buffet,
Alexa pointa le doigt vers les coupelles.

– Carottes râpées ! remarqua-t-elle,
hilare. Hé ! **Buongiorno, signore**[8] Luigi !
À quand le riz cantonais et la soupe
pékinoise ?

---

8. Buongiorno, signore *(en italien) : bonjour, monsieur.*

Le cuisinier de l'Académie mit les poings
sur ses hanches.

— Hum… **Signorina**[9] Clark… C'est quoi,
cette histoire ?

— On ne vous a pas prévenu de l'arrivée
du Dragon bleu ? demanda Naïma.

— **Che cosa**[10] ? Un dragon vient manger ici ?

— C'est le nom d'une compagnie de
théâtre ! répondit Naïma. Oh, vous
plaisantez ! Je le vois dans vos yeux !
Vous êtes déjà au courant !

---

9. Signorina *(en italien) : mademoiselle.*
10. Che cosa *(en italien) : quoi ? (che se prononce « kè »).*

Le chef Luigi partit d'un grand éclat de rire.

– Je sens que je vais vous faire plaisir !
J'ai prévu de vous servir des ailerons
de requin et des scorpions frits !

– Mais c'est dégoûtant ! s'écria Michelle,
horrifiée.

– C'est une blague, idiote, marmonna
Ruby.

– Pas du tout, pas du tout ! protesta Luigi.
Ce sont des plats typiquement chinois !

– C'est scandaleux de tuer les requins,
s'insurgea Alexa. Certaines espèces

sont en train de disparaître à cause
de la pêche.

– Je ne vais pas pleurer sur le sort
de ces sales bêtes ! rétorqua Ruby.

Alexa se retourna vers elle, le visage rouge
de colère.

– Ah oui ? Et si je te dis que les dauphins
sont pris dans les filets pour les requins
et qu'ils meurent de leurs blessures,
tu t'en moques aussi ?

Ruby n'osa pas lui répondre et se contenta
de hausser légèrement les épaules.

– Hum… fit Luigi, un peu ennuyé. Alors,
je préparerai des nouilles aux légumes
avec du tofu pour la *signorina* Clark.

– Qu'est-ce que c'est, le tofu ? demanda
Naïma.

– C'est une pâte à base de soja, expliqua
le chef. En Asie, il remplace parfois
la viande.

Alexa retrouva sa bonne humeur et hocha la tête.

– Ce sera parfait. Merci pour tous les végétariens de l'école !

Puis, fidèle à ses convictions, elle choisit les carottes râpées, la salade composée, la compote de pommes… et une assiette de frites.

– Ce soir, j'irai dans la salle multimédia, déclara Idalina en s'asseyant. Je vais apprendre le chinois !

– Tu ne doutes de rien ! rit Rajani.

– Je suis passionnée par les langues étrangères, répondit Idalina. Et je me débrouille assez bien, non ?

– C'est vrai, acquiesça Kumiko. Tu m'avais beaucoup impressionnée au Japon. Tu comprends vite et tu ne recules pas devant les difficultés.

Les joues d'Idalina se colorèrent de rose.

– Ça, c'est très gentil, murmura-t-elle.

Et elle eut ce genre de sourire qui fait fondre les garçons... surtout Mickael qui la regardait depuis la table voisine...

Chapitre 4

Le Dragon bleu
entre en scène

dalina était restée deux heures dans la salle multimédia. Elle n'avait pas vu le temps passer. Le chinois était une langue fascinante, mais tellement compliquée !
La prononciation était très difficile. Une même syllabe pouvait se prononcer de quatre façons différentes, quatre tons. Le ton pouvait être haut ou commencer en haut et monter encore, monter et descendre ou descendre et monter comme une vague.

Idalina se sentait à l'aise avec cette étrange manière de parler, car ça ressemblait à de la musique. Maîtriser les tons était d'autant plus important que la façon de prononcer une syllabe changeait le sens d'un mot ! Idalina avait pris soin de noter quelques phrases dans son cahier, sans oublier les accents indiquant les tons. Elle avait l'intention de les apprendre par cœur pour s'entraîner. Quand elle retrouva Naïma dans leur chambre, elle déclara d'une voix très assurée :

— *Wàimian feicháng leng !*

— Heu, oui... hésita Naïma.

— Ça veut dire : « Il fait très froid dehors ! »

— Je te crois sur parole.

— Est-ce que ça sonnait bien comme du chinois ? s'inquiéta Idalina.

— Oh oui, tout à fait ! Ah, j'ai une bonne nouvelle à t'annoncer ! Les ouvriers

vont bientôt enlever les échafaudages !
L'accès à la buanderie sera enfin dégagé.
Nous allons pouvoir reprendre notre
exploration des souterrains du château.

– Tu en as envie ? demanda Idalina.
J'ai le souvenir que tu n'avais pas adoré,
la dernière fois...

– Oh bah, ça va ! protesta Naïma.
Je ne suis pas aussi trouillarde que ça !
Je n'aime pas parce qu'il y a des tombes,
je ne suis pas la seule dans ce cas ! Rajani
et Kumiko n'ont pas tellement apprécié
non plus, d'ailleurs !

– Te fâche pas !

Idalina ouvrit son cahier pour vérifier
quelque chose.

– **Duìbuqi**, ajouta-t-elle. Ça veut dire
« pardon ».

– Tu n'as pas fini de nous casser les pieds
avec ton chinois, c'est ça ?

– En effet, répondit Idalina avec un grand sourire.

Un bruit venant de l'extérieur attira Naïma à la fenêtre. Plusieurs caravanes approchaient du château, roulant au ralenti.

– Hé ! La troupe arrive !

– Quoi ? s'exclama Idalina. Ah mais non ! Ce n'est pas possible ! Je ne suis pas prête du tout !

Paniquée, elle tourna les pages de son carnet frénétiquement. Puis elle se précipita vers le placard pour y prendre son manteau, sous le regard effaré de son amie.

– Vite ! Vite, Naïma ! Il faut les accueillir !

– Quoi ? Attends ! Attends-moi !

Idalina était déjà dans le couloir et courait vers l'escalier. Elle n'était pas la seule à s'affoler. Miss Daisy était elle aussi dans tous ses états. Le Dragon bleu avait deux jours d'avance ! Sur le perron de

l'école, elle retrouva Alexa qui revenait
de sa promenade quotidienne avec Jazz.

– Eh bien ! soupira-t-elle. Heureusement
que j'ai insisté pour qu'on prépare les
chambres hier ! Si j'écoutais M. Meyer,
rien ne serait jamais fait à temps, ici !

– C'est pour ça que vous êtes
indispensable, répondit Alexa.

– Merci ! Ah, Maître Wang ! Vous
tombez à pic !

Le vieux professeur s'inclina. Déjà, les
camions se garaient sur l'esplanade.
Quelques personnes en sortirent,
visiblement de très bonne humeur.
Le labrador remua la queue. Chouette !
Plein de nouveaux copains ! Maître Wang
s'apprêtait à descendre les marches quand,
à sa grande surprise, il fut dépassé par
Idalina, échevelée et rougissante.

– **Ni hao ! Nimen hao**[11] ! cria-t-elle.

---

11. Ni hao ! Nimen hao ! *(en chinois) : Bonjour ! Bonjour à tous !*

Les sourires s'épanouirent sur les visages
des visiteurs. Ne voulant pas être en reste,
Alexa emboîta le pas à Idalina.

— Bienvenue à l'Académie Bergström !
dit-elle.

Soudain, Jazz poussa une espèce de
couinement très bizarre et se réfugia
en tremblant derrière les jambes d'Alexa.

— Ben, qu'est-ce qui te prend, mon gros ?
demanda celle-ci.

Naïma, qui arrivait à ce moment-là,
remarqua aussitôt le drôle d'animal portant
veste rouge et chapeau rond, accroché
à la portière d'un des véhicules. Un singe !
D'un bond, il sauta de la portière sur l'épaule
d'un homme.

— Oh ! Comme il est mignon ! s'attendrit
Naïma.

— Ce n'est pas l'avis de Jazz, constata
Alexa. Alors quoi ? Tu n'as pas peur

d'une si petite bête, quand même ?
Un grognement sourd sortit de la gorge du
labrador. Le singe, un macaque rhésus, lui
montra les dents et lança un cri strident.

— ***Tsou-fòu***[12] *!* le disputa son propriétaire.

Ce ne sont pas des manières !

— ***Zhè shì yì shi daomángquan***[13], dit Idalina.
Stupéfaits, Maître Wang et Miss Daisy
se tournèrent vers elle.

— Tu… tu parles vraiment chinois ?
s'étonna Miss Daisy.
Idalina essaya de garder son sérieux.
Mais elle finit par éclater de rire.

— Pas encore, non ! J'ai trouvé la phrase
« c'est un chien d'aveugle » sur Internet
et j'étais sûre que je parviendrais
à la placer quelque part !

— Fort astucieux, la complimenta
Maître Wang, amusé.

---

12. Tsou-fòu *(en chinois) : grand-père paternel.*

13. Zhè shì yì shi daomángquan *(en chinois) :*
c'est un chien d'aveugle.

Idalina était très contente d'elle. Elle avait réussi son petit effet ! Miss Daisy songea aux premiers jours d'Idalina à l'Académie Bergström. Elle pleurnichait tout le temps, osait à peine s'adresser aux professeurs, s'inquiétait d'un rien… et la voilà quelques mois plus tard, n'hésitant pas à aller au-devant d'inconnus et à faire une plaisanterie aux dépens des adultes ! Quel changement ! Miss Daisy ne doutait pas de la bonne influence de ses quatre amies. Mais, tout de même, elle pensait que l'enseignement à l'école y était aussi pour quelque chose ! L'homme avec le singe sur son épaule s'approcha de Maître Wang. Il s'inclina devant lui.

– *Shifu. Ni hao ma*[14] ?

Maître Wang tendit ses deux mains pour serrer celles de l'homme. C'était une marque de grande affection. Ils discutèrent une

---

14. Shifu. Ni hao ma ? *(en chinois) : Maître. Comment vas-tu ?*

courte minute, puis le professeur fit
les présentations.

   – Voici mon ami Zong Liu, le directeur
du théâtre du Dragon bleu.

   – Je suis très honoré d'être votre invité,
répondit l'intéressé. S'il vous plaît,
appelez-moi Liu.

Idalina murmura dans l'oreille de Naïma :

> – En Chine, on donne d'abord le nom
> de famille. Liu, c'est son prénom.

> – Et comment s'appelle le singe,
> monsieur Liu ? demanda Alexa.

Jazz ! Arrête de grogner, tu es ridicule !

> – Tsou-fòu, ce qui signifie « Grand-père ».
> Quand il est né, il avait des poils blancs
> sous le menton. Il ressemblait à un
> vieux sage !

Alexa trouva ça très drôle. Le malheureux
Jazz tirait désespérément sur sa laisse.
Le singe ne lui plaisait pas du tout, du tout !
De la fenêtre de sa chambre, Rajani
observait la scène en enfilant ses bottes.

> – Tu viens ? Les autres sont déjà en bas,
> je les aperçois !

> – Oui, oui, répondit Kumiko d'un air
> absent. Pars devant, j'ai un truc
> à terminer...

58

Rajani regarda le bureau de la Japonaise.
Comme il n'y avait ni livres ni classeurs, que
pouvait-elle donc bien avoir à terminer ?
Rajani ne posa pas de questions. Parfois,
Kumiko se refermait comme une huître et
gardait pour elle ses soucis. Si elle ne voulait
pas parler, il ne servait à rien de la brusquer.
Quand elle se sentirait prête, Kumiko se
confierait. À son contact, Rajani avait appris
la patience, patience qui, il fallait bien le
reconnaître, était souvent mise à l'épreuve !
Dès le départ de son amie, Kumiko avait
sorti le gros carnet rouge de son tiroir.
Elle l'ouvrit avec délicatesse. La couverture
de cuir craqua. L'objet était certainement
plus que centenaire et il était fragile.
Un long moment, Kumiko examina la
première estampe qui représentait une
forêt de pins. Dans le lointain, on devinait
la cime des montagnes dans une brume

bleutée. Il y avait très peu de couleurs.
L'artiste avait surtout employé l'encre
de Chine, à la manière des grands peintres
classiques. Les pins semblaient grimper
vers le ciel, partant du noir le plus profond
au gris pâle quasi transparent.

Grâce à l'enseignement de Maître Wang,
Kumiko savait que le pin était le symbole
de la résistance, de la longévité, de la rigueur
et de la fidélité. Que devait-elle en déduire ?
Que le peintre se voyait lui-même comme
quelqu'un de fidèle ou qu'il était très âgé ?
Qu'il était doté d'un fort tempérament
ou qu'il n'était jamais malade ?

Pas facile de faire
son portrait !
L'un des pins
se détachait,
plus net, plus
détaillé.

Kumiko y accorda toute son attention.
C'était bizarre, cet enchevêtrement de
racines entre deux rochers... Elle tourna
le carnet d'un quart de tour. Encore un peu
plus... Kumiko regarda le dessin à l'envers.
Et là, l'évidence la frappa. Les racines formaient
un mot ! Et ce mot, elle pouvait le lire ! En effet,
le Japon avait adopté l'écriture chinoise au
VIe siècle. Bien sûr, chaque écriture avait
évolué depuis ces temps anciens, mais,
encore aujourd'hui, la plupart des caractères
japonais et chinois étaient identiques.

– Voyage... murmura Kumiko.
La Japonaise contempla longuement le mot
tracé par les racines. Impossible qu'il soit
le résultat du hasard.
Pourquoi le peintre avait-il écrit « voyage » ?
Et pourquoi le cacher dans sa peinture ?

Chapitre 5
Tsou-fòu fait des singeries

Depuis l'arrivée de la compagnie de théâtre, Miss Daisy ne savait plus où donner de la tête. Loger et nourrir toute la troupe, d'accord, c'était prévu. Que les acteurs et les musiciens prennent possession de la cuisine… ça non, pas prévu. Mifei, la femme de Zong Liu, était si délicieuse qu'on ne pouvait lui refuser quoi que ce soit. Alors, quand elle demanda l'autorisation de préparer les repas, Miss Daisy répondit « oui » spontanément.

Et le regretta aussitôt. Comment le chef Luigi allait-il réagir ? En voyant débarquer dans son domaine pas moins de six personnes, le cuisinier resta figé par la stupeur. Puis Mifei lui offrit son plus charmant sourire. Dix minutes plus tard, elle échangeait des recettes avec un Luigi en admiration devant tant de grâce.

Ouf ! Miss Daisy était soulagée. Elle conduisit ensuite Zong Liu à la salle de spectacle de l'école, un endroit dont elle était particulièrement fière. Liu la complimenta pour la belle scène spacieuse et les très jolis fauteuils rouges. Puis il dit :

— Parfait ! C'est parfait ! Maintenant, il faut enlever les sièges !

Miss Daisy crut qu'elle n'avait pas bien compris. Liu lui expliqua que Le Dragon bleu était une troupe de théâtre à l'ancienne. La tradition voulait que les spectateurs s'assoient devant de longues tables et qu'on leur serve du thé et des friandises. Liu la rassura. Pas d'inquiétude ! Ses camarades et lui-même se chargeaient du déménagement et tout serait remis en place après la représentation. Il y avait des tréteaux, des planches et des bancs dans les camions. C'était prévu...

... comme *Le Roi singe* était prévu. Mais un vrai singe vivant ? Ça non, pas prévu. Tsou-fòu échappait sans cesse à la surveillance de son maître et se livrait à toutes les bêtises possibles et imaginables. Son occupation favorite était de terroriser les élèves en leur sautant sur les épaules. Il aimait beaucoup voler des fruits dans les corbeilles du réfectoire, ouvrir les robinets, renverser les cartables, mâchouiller les crayons et tirer la langue en faisant « pfffouuuttt » ! Néanmoins, ses facéties amusaient

beaucoup et on les lui pardonnait.
Malheureusement, Tsou-fòu finit par
dépasser les bornes. On ne sait comment,
le macaque réussit à s'introduire dans la
salle de classe de Maître Wang. Avait-il eu
soudain l'envie de faire un beau dessin ?
Son habileté à dévisser les couvercles aurait
pu lui valoir des compliments… mais pas
qu'il barbouille joyeusement les bureaux
avec les encres liquides rouge et noire !
Devant le désastre, le vieux professeur garda
sa sérénité. Miss Daisy, en revanche, perdit
son calme. Les meubles étaient bons pour la
poubelle ! Désolé, Zong Liu se confondit en
excuses. Il promit que, dorénavant, le singe
resterait enfermé dans sa caravane.
Tsou-fòu n'apprécia pas d'être emprisonné
et se vengea en déchirant les coussins.
Voyant que Zong Liu ne cédait pas, le
macaque s'assit devant la fenêtre. Le nez

collé contre la vitre, il regardait dehors en pleurant sur son sort. Dès que quelqu'un passait devant lui, il sautillait en appelant désespérément. Puis retombait dans une profonde tristesse quand il comprenait qu'il ne serait pas délivré.

En fin de journée, revenant d'une courte promenade dans le parc, Ruby et ses deux copines s'arrêtèrent devant la caravane. Tsou-fòu, ravi d'avoir attiré leur attention, fit des cabrioles. Ruby eut un rictus en sortant une banane de sa poche.

> – Tu la veux, hein, tu la veux ? demanda-t-elle en agitant la banane devant la fenêtre.

Les yeux du singe brillèrent et il dansa de joie. Ruby éplucha soigneusement la banane et la tendit à Jennifer.

> – Mange-la ! ordonna-t-elle.

> – Quoi ? s'exclama Jennifer. Pourquoi ?

– Je ne vais pas la manger moi-même,
ça fait grossir, dit Ruby. Toi, tu es déjà
grosse.

Jennifer serra les poings. Ruby s'était
moquée d'elle une fois de trop.

– Pas question, rétorqua Jennifer.
Je déteste les bananes.

Michelle, quant à elle, refusa tout net
de se gâcher l'appétit avant le dîner.
Tsou-fòu, excité à la vue du fruit, tapait
sur la vitre. Ruby le regarda méchamment.
Elle jeta la banane par terre où elle l'écrasa
rageusement avec le talon de sa botte.

Le macaque, qui observait chacun de ses mouvements, poussa un long cri aigu.

– Ça t'apprendra à tirer les cheveux, sale bête ! ricana Ruby.

Elle fit une grimace à Tsou-fòu. Jennifer partit à grands pas. La cruauté de Ruby la mettait mal à l'aise, d'autant plus qu'elle adorait les animaux. Michelle n'aimait pas non plus le comportement de Ruby. Mais elle était trop lâche pour protester.

– Allez, viens, on s'en va ! dit-elle.

Il est l'heure !

Ruby donna un grand coup du plat de la main sur le carreau. Effrayé, Tsou-fòu se réfugia sous une banquette. Ruby éclata de rire, puis se décida à suivre Michelle qui s'éloignait rapidement.

Dissimulée par un des camions, Singrid avait tout vu. Quelle horreur, cette Ruby ! Pas étonnant que tous les élèves la détestent !

Singrid s'approcha de la fenêtre de la
caravane. Dressée sur la pointe des pieds,
elle appela doucement le singe. Encore
tremblant, Tsou-fòu apparut. Il gémissait
d'un air si pitoyable que le cœur de
Singrid chavira.

– Attends… murmura-t-elle. Je vais
te délivrer, moi…

Elle observa les environs. Elle était seule.
Tout le monde était déjà au réfectoire. La
porte à l'arrière était fermée à clé. Singrid fit
le tour du véhicule. La troisième tentative
fut la bonne. On avait oublié de verrouiller la
portière du côté passager. Tsou-fòu lui sauta

dans les bras tant il était heureux. Singrid
déboutonna sa veste et le cacha à l'intérieur.

— Arrête de gigoter, tu me chatouilles !
Singrid s'assura que personne ne passait
dans le hall avant de s'introduire dans le
château. Longeant les murs, elle se glissa
jusqu'à l'escalier qu'elle gravit quatre
à quatre. D'ordinaire, elle empruntait
l'ascenseur, mais elle craignait d'y croiser
un professeur. Essoufflée et très fière d'elle,
elle entra dans sa chambre et relâcha
Tsou-fòu. Curieux, le petit singe parcourut
la pièce puis monta sur le lit où il s'amusa
à sauter sur l'oreiller.

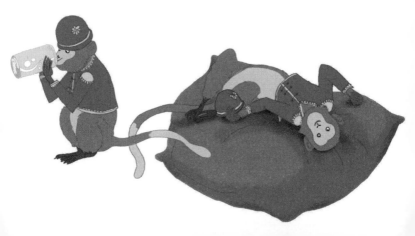

– Tu dois être sage, dit Singrid. Je reviens
le plus vite possible. D'accord ?

Tsou-fòu poussa un cri plaintif quand il
comprit que sa nouvelle amie s'en allait.

– Chut ! Ne fais pas de bruit !

Le macaque essaya de l'attendrir en
geignant.

– N'exagère pas, le gourmanda Singrid.
Et si tu veux que je te rapporte à manger,
il faut bien que je reparte.

Elle le quitta avec un peu d'appréhension.
Tsou-fòu, livré à lui-même, joua quelques
instants à jeter les vêtements par terre.
Puis il s'immobilisa et regarda autour de lui.
Enfermé de nouveau ? Non, ça ne lui plaisait
pas ! Et tiens... il remarqua quelque chose de
fort intéressant...

Quand Singrid arriva au réfectoire, il y avait
encore cinq élèves devant le buffet. Juste à
temps pour ne pas se faire disputer ! Singrid

adopta son attitude préférée, tête baissée et expression grognon. Pourvu que personne ne s'aperçoive de la rougeur sur ses joues et de sa respiration haletante…

Ce soir au menu, cuisine chinoise ! Le chef Luigi, Mifei et ses amis avaient fait des merveilles, pour le plus grand plaisir des élèves et des professeurs. Mifei, qui était originaire du nord de la Chine, avait préparé la spécialité de sa région appelée ***Beijing kaoya***, c'est-à-dire canard laqué de Pékin. La viande était coupée en lamelles et on la roulait dans une espèce de crêpe très fine pour la tremper dans une sauce sucrée à la prune. Absolument délicieux ! Pour les végétariens comme Alexa, il y avait des nouilles épicées (un peu trop au goût de

certains !) et du chou mariné à la coréenne.
Ce dernier plat plut beaucoup
à Kumiko. En effet, elle en
mangeait souvent au Japon.
Tout le monde, végétariens ou
pas, se délecta des petits pains
au crabe, spécialité de Shanghai.
Impossible d'y résister…

Les desserts comme on les connaît en
Occident n'existent pas vraiment en Chine.
On servit donc des litchis au sirop et…
des graines de pastèque !

Les membres de la troupe du Dragon bleu
étaient logés dans le château. Ils appréciaient
les bons lits confortables qui les changeaient
des couchettes de leurs caravanes. Après
une journée bien fatigante, Zong Liu ne
rêvait que d'une bonne nuit de sommeil.
Comme il avait nourri son singe l'après-
midi même, il ne s'en inquiéta pas et alla

directement se coucher. Il s'endormit
paisiblement, ignorant que Tsou-fòu
n'était pas où il aurait dû être !
Singrid, quant à elle, était persuadée
de savoir où était le macaque.

– C'est moi ! annonça-t-elle en entrant
dans sa chambre. Tsou-fòu ! Regarde
les beaux fruits que je t'apporte !
Eh ! Ce n'est pas le moment de jouer
à cache-cache !

Elle chercha sous le lit, dans le placard,
derrière le bureau. Pas de singe ! Et là, Singrid
vit le mouvement du rideau agité par un
courant d'air. Elle avait laissé sa fenêtre
ouverte ! Ce démon de Tsou-fòu avait filé !
Elle s'affola soudain. Et s'il était tombé ?
Elle se pencha par la fenêtre et scruta
l'obscurité. Elle ne voyait rien. Il fallait qu'elle
descende. Elle ressortit dans le couloir et
tomba nez à nez avec Mme Beckett.

– Que fais-tu avec ta veste sur le dos ?
demanda celle-ci.

– Heu… j'ai un peu froid. Je vais… je vais…
prendre un chocolat chaud à la cafétéria.

– Excellente idée. Je t'accompagne !

Singrid avait l'habitude de se sauver et
Mme Beckett était méfiante. Singrid n'eut
pas d'autre choix que de la suivre, de boire
son chocolat et de remonter dans sa
chambre, toujours sous la surveillance
du professeur.

Singrid était désemparée. Que faire
maintenant ?

Chapitre 6

Les Kinra Girls
à la rescousse

Singrid vérifia l'heure sur son réveil. Dans dix minutes, les élèves devraient regagner leurs chambres. Ça lui laissait peu de temps… Elle se doutait que Mme Beckett la surveillait. Le professeur n'allait sûrement pas la lâcher d'une semelle. Singrid s'installa à son bureau pour écrire une courte lettre. Puis elle glissa la feuille à l'intérieur d'un livre. Elle avait raison : à peine était-elle dans le couloir que Mme Beckett ouvrait sa porte.

– Et où vas-tu, cette fois ?

Singrid lui montra le livre.

– J'ai promis à Rajani de
le lui prêter, répondit-
elle.

Mme Beckett jeta un coup
d'œil sur la couverture.

– Je ne savais pas que
Rajani lisait le suédois.

– Oh ! Heu... Eh bien,
heureusement que vous étiez
là ! Je me suis trompée de livre !

Singrid rentra précipitamment dans sa
chambre. Décidément, rien n'échappait
à Mme Beckett ! Elle chercha un livre
en anglais qui ressemblait plus ou moins
au précédent. Et quand elle ressortit,
Mme Beckett l'attendait.

– Voilà ! déclara Singrid. J'ai le bon,
ce coup-ci !

Singrid eut des sueurs froides en voyant
Mme Beckett consulter sa montre.

– C'est trop tard, maintenant.

– Mais… mais j'ai promis à Rajani ! Je n'en
ai pas pour longtemps !

– Je vais le lui remettre, dit Mme Beckett
en tendant la main.

Coincée ! Singrid, livide, fut contrainte de lui
donner le livre. Elle bégaya des remerciements.

– Je repasserai te voir après, la prévint
le professeur.

Elle sourit et partit vers l'ascenseur. Le dos
rond, Singrid retourna dans sa chambre. Si
jamais Mme Beckett regardait dans le livre…
Par chance, il ne lui vint pas à l'idée de le
faire. Elle croyait simplement que Singrid
avait essayé de l'embobiner pour s'échapper
encore une fois. Malgré tout, Mme Beckett
n'en était pas sûre. Peut-être que Rajani
attendait vraiment la visite de Singrid.

Kumiko fut très surprise en ouvrant la porte.

– Désolée de vous déranger, dit Mme Beckett. Mais j'ai ce roman pour Rajani, *Le Merveilleux Voyage de Nils Holgersson*[15]. C'est un classique de la littérature suédoise.

– Ah bon ? fit Kumiko qui ne comprenait rien.

– C'est de la part de Singrid.

Plusieurs pensées passèrent très rapidement dans la tête de Kumiko. Pourquoi Singrid avait-elle envoyé le professeur ? Et pourquoi ce livre ? Ça cachait quelque chose...

Que devait-elle répondre ?

– Ah oui ! Rajani ! Mme Beckett a la gentillesse de t'apporter *Le Merveilleux Voyage de...* Tu te souviens ? On en avait parlé avec Singrid !

Rajani, qui se trouvait dans la salle de bains,

---

15. Le Merveilleux Voyage de Nils Holgersson à travers la Suède *est un livre pour les enfants écrit en 1905 par Selma Lagerlöf, l'un des plus grands écrivains suédois.*

apparut. Kumiko se retourna vers elle et la fixa du regard. Et quand Rajani vit son amie tirer sur son oreille, elle reconnut le signal du code Mullee Mullee[16] qui signifiait : « Attention ! Quelqu'un nous écoute ! »

– Génial ! s'écria Rajani. J'avais très hâte de le lire. Merci beaucoup, Mme Beckett.

Kumiko respira mieux. Ouf ! Rajani avait saisi le message ! Le professeur lui donna le livre, à moitié étonnée. Tiens… Finalement, Singrid lui avait dit la vérité. Elle souhaita bonne nuit à ses deux élèves et s'éloigna.

– Qu'est-ce que tout ça veut dire ? demanda Rajani.

Kumiko feuilleta le livre et découvrit la feuille pliée en deux entre les pages. Rajani lut la lettre par-dessus son épaule.

– Oh… soupira-t-elle. Singrid ! Quand cesseras-tu de faire des bêtises ?

– Il nous reste à peine deux minutes

16. *Ensemble de signes inventé par Alexa et utilisé par les Kinra Girls pour communiquer secrètement. Voir p. 134.*

avant la sonnerie, remarqua Kumiko.

Je file prévenir les autres.

Rajani acquiesça. Au pas de course, Kumiko se rendit chambre 306. Alexa y était encore car elle n'aimait pas travailler en compagnie de Michelle. Kumiko les mit rapidement au courant de la disparition de Tsou-fòu.

– On ne peut plus sortir, maintenant, dit Naïma. On va devoir attendre que tout le monde soit couché.

Alexa réfléchit en fronçant les sourcils.

– Hum, je ne viens pas… grommela-t-elle. Je suis certaine que Michelle m'espionne. Je me suis aperçue qu'elle s'efforçait de ne pas s'endormir avant moi. Dans quelque temps, elle sera trop crevée pour résister et recommencera à ronfler dès 10 heures. Mais, pour le moment, il vaut mieux que je joue la prudence.

– Comment on va retrouver Tsou-fòu ?

s'inquiéta Idalina. Le parc est gigantesque !

— Le pauvre ! s'apitoya Naïma. Et s'il était tombé ? Il est peut-être blessé…

— C'est un singe, répliqua Alexa. Il est parfaitement capable de sauter de la fenêtre à un des grands arbres devant le château. Zut, ça sonne ! Je vous laisse.

Après son départ, les trois filles se mirent d'accord pour partir en mission de sauvetage vers minuit.

— Si on avait quelque chose à manger, on aurait plus de chances, supposa Kumiko. Parce que je ne suis pas sûre que Tsou-fòu acceptera facilement de rentrer dans sa caravane. Faudrait déjà lui mettre la main dessus…

— Naïma a toujours de la nourriture dans son tiroir, répondit Idalina.

— C'est pas vrai ! protesta l'intéressée.

— Si, c'est vrai ! Tu gardes des biscuits !

– C'est pour le cas où j'aurais faim dans la matinée ! Et là, je n'ai plus rien ! Enfin… il y a juste la pomme que j'ai prise ce midi…

Idalina lui rit au nez. Naïma haussa les épaules, mi-vexée, mi-amusée. Kumiko s'empressa de regagner sa chambre comme beaucoup d'élèves qui traînaient encore dans les couloirs.

Les quatre Kinra Girls eurent plus de mal que d'habitude à rester éveillées. Les expéditions en milieu de semaine, c'était dur ! Ce fut donc des filles bien épuisées qui descendirent l'escalier en silence. Rajani avait pensé à emporter son plumier en bois pour bloquer la porte du hall. En effet, la nuit, on pouvait sortir librement, mais le système de sécurité empêchait d'entrer. Grâce au plumier, la porte ne se referma pas complètement.

Elles cherchèrent d'abord du côté où

se trouvait la fenêtre de Singrid. Il n'y avait aucune trace de Tsou-fòu, ce qui permettait d'espérer qu'il n'était pas blessé.

– Si vous étiez un singe, que feriez-vous ? demanda Idalina.

– Tsou-fòu est un animal apprivoisé, répondit Kumiko. Il ne vit pas dans la nature. Il fait froid et sombre… Moi, à sa place, je voudrais être au chaud !

– Et manger, ajouta Naïma.

Rajani avisa les camions et les caravanes garés à proximité.

– Moi, j'irais là, dit-elle en pointant le doigt. Un endroit que je connais et où je n'aurais pas peur.

Ses amies acquiescèrent. En s'approchant des véhicules, Idalina appela le singe en agitant un quartier de pomme. Le résultat ne se fit pas attendre. Une petite silhouette bondit du toit d'un camion et sauta sur le sol.

Le macaque poussa un cri de joie et se jeta dans les bras d'Idalina.

> – Je crois qu'il est vraiment content de nous voir, remarqua Kumiko. À mon avis, il commençait à avoir la trouille tout seul !

Le singe dévora les morceaux de pomme que lui tendait Idalina. Profitant du fait qu'il était occupé, les filles se dirigèrent vers la caravane de Liu. Rajani ouvrit la portière. Tsou-fòu la regarda et s'accrocha au cou d'Idalina.

> – Allez… murmura celle-ci. Tu dois être fatigué.

Tsou-fòu soupira, puis grimpa sur le siège avant.

> – C'est bien, le complimenta Idalina en lui donnant le dernier morceau de pomme.

Rajani referma doucement la portière. Tsou-fòu bâilla. Finalement, elle n'était pas si mal, cette confortable caravane !

— Mission accomplie ! dit Naïma.

Et si on allait se coucher, nous aussi ?
En s'en retournant vers le château, Rajani
pensait à Singrid. Demain, elle aurait une
sérieuse explication avec elle. Il fallait à tout
prix que Singrid arrête de faire bêtise
sur bêtise.

Chapitre 7
Le Roi singe

Ce matin-là, tout le monde semblait être en retard et on se pressait devant le buffet du réfectoire. Idalina s'arrangea pour se trouver derrière Singrid dans la file. Dans le creux de l'oreille de la Suédoise, elle glissa quelques mots pour la rassurer sur le sort de Tsou-fòu. Singrid murmura un simple « merci ».

Le petit déjeuner fut vite expédié et les élèves se dirigèrent vers leurs salles de classe respectives.

– Bonjour, M. Brown ! salua Alexa en entrant. J'ai un exercice de calcul pour vous ! Rainer a cinq chevaux blancs, trois noirs et deux bruns. Parmi ces dix chevaux, combien peuvent dire qu'ils sont de la même couleur qu'un autre cheval de Rainer ?

– Aucun, répondit immédiatement M. Brown. Les chevaux ne parlent pas !

– Ah, vous êtes trop fort...

Le professeur de maths sourit, puis reprit son sérieux et demanda à ses élèves de s'asseoir. Et soudain, un hurlement perçant retentit dans la salle. Ruby beugla qu'il y avait une bête horrible dans son sac et qu'elle l'avait touchée avec la main et qu'elle avait sûrement été piquée et qu'elle devait voir un médecin tout de suite. M. Brown la pria de se calmer, mais Ruby était hystérique. Curieux, Mickael regarda dans le sac. Avec

deux doigts, il
en sortit… une
grosse araignée
noire et velue.
– C'est du
plastique ! dit
Mickael, hilare.
Rajani se tourna
vers Singrid
qui, bizarrement,
était plongée dans
la contemplation du plafond. M. Brown
réclama le silence et confisqua la bestiole.

– Allez, ça suffit ! ordonna-t-il. Je
n'apprécie pas ce genre de plaisanterie
et le ou la coupable devrait avoir honte.
Asseyez-vous, maintenant ! Ruby, c'est
valable pour toi aussi.

– Mais, monsieur, protesta cette dernière,
je ne suis pas en état de travailler !

J'ai des palpitations… Il faut que j'aille
à l'infirmerie.

– N'exagère pas, surtout, ricana Mickael.

– Un bon exercice avec des fractions
te remettra de tes émotions, répondit
le professeur à Ruby. Et on se passera
de tes commentaires, Mickael.

Ayant réussi à rétablir l'ordre, M. Brown
commença enfin son cours. La matinée se
déroula sans autre incident, même si Ruby
se plaignait à qui voulait bien l'écouter.
Après le déjeuner, Rajani coinça Singrid dans
le couloir et entreprit de lui faire un sermon.

– Tu dois cesser de te conduire comme
une sale gamine. Nous n'allons pas
réparer tes bêtises à chaque fois ! Nous
ne sommes pas tes grandes sœurs !

– Oh, arrête ! fit Kumiko. Tu adores jouer
ce rôle-là !

– Tu n'aides pas, rétorqua Rajani. Il faut

que Singrid soit plus raisonnable. Alors, plus de fugues, plus d'enfantillages… et plus d'araignées dans les cartables, d'accord ?

– Comment t'as fait pour mettre l'araignée dans le sac ? demanda Alexa.

Un petit sourire se dessina sur les lèvres de Singrid.

– Pas compliqué… Ruby laisse toujours son sac dans sa chambre pendant le petit déjeuner.

– Mais… tu es entrée comment ? s'étonna Naïma.

– J'ai pris le passe magnétique de Miss Daisy.

– Tu l'as volé ! s'offusqua Rajani. Tu es folle ou quoi ?

– Et tu l'as encore ? s'enquit Alexa, très intéressée.

Singrid acquiesça. Rajani soupira.

– Je me charge de le rendre ! déclara

Alexa. Je vais tous les jours chercher Jazz pour sa promenade. Souvent, Miss Daisy n'est pas là. Je peux déposer la carte magnétique dans un tiroir de son bureau. Elle pensera qu'elle l'y a mise elle-même et qu'elle a oublié ! Donne.

Elle tendit la main à Singrid. Celle-ci hésita, puis se résigna. Elle glissa la main dans la poche de son pantalon et en sortit le précieux passe. Alexa s'en saisit avec un empressement suspect. Idalina consulta sa montre et remarqua qu'il était bientôt l'heure de la représentation du *Roi singe*. Singrid releva le menton d'un air de défi.

— Et vous ne manquez pas de culot de me disputer alors que vous vous promenez la nuit ! Je ne suis pas la seule à faire des bêtises ici !

Et sur ce, elle tourna les talons.

— Ben... elle n'a pas tort, dit Naïma.

– On ne s'enfuit pas pour se cacher dans les arbres, nous, répliqua Rajani. On ne vole pas et on ne kidnappe pas les singes non plus ! Et on n'est pas insolentes ! En route ! Je n'ai pas envie d'être en retard.

Du coup, les Kinra Girls arrivèrent en avance. Elles choisirent une table au milieu de la pièce pour être bien placées. Peu à peu, les élèves et les professeurs entrèrent et s'installèrent. Les musiciens apparurent et saluèrent avant de s'asseoir sur un côté de la scène. Zong Liu les suivait de près. Un « oh » admiratif parcourut la salle. Liu était magnifique dans son costume doré et brodé. Son pantalon bouffant était recouvert d'une jupette bleue. Son maquillage blanc et rouge dessinait le visage d'un singe. Il tenait un bâton à la main.

– Bonjour ! dit-il. Je suis Sun Wukong, le Roi singe. Avant le spectacle, je vais vous raconter l'histoire que vous allez voir et ensuite Mifei vous expliquera quelques petites choses… Les aventures du Roi singe sont très populaires en Chine. C'est l'un de nos héros préférés, même s'il est assez insupportable. Tout commence quand Sun s'empare de la règle magique à dompter les flots qui soutient le palais du Roi dragon. Tout s'effondre… Furieux, le Roi dragon se plaint à l'Empereur de jade qui règne sur la cour céleste. Espérant que Sun arrête ses bêtises, l'Empereur le nomme chef de ses écuries. Le Roi singe pense qu'on lui fait un grand honneur. Mais il s'aperçoit vite qu'on s'est moqué de lui. Par vengeance, il libère les chevaux. L'Empereur lui envoie ses guerriers. Sun les bat tous grâce à la règle magique. Une nouvelle fois, pour le calmer, l'Empereur

de jade le charge de veiller sur le
verger de la Reine-mère d'Occident
où poussent les pêches d'immortalité.
Sun comprend qu'on se moque encore
de lui et mange les pêches ! Alors, il exige
qu'on lui donne le titre de Grand Saint
Égal du Ciel. L'Empereur le lui accorde,
à contrecœur. Sun en est très fier, jusqu'à
ce qu'il se rende compte que personne
à la cour ne le prend au sérieux. Ah !
On l'a donc encore trompé ! Cette fois,
le Roi singe est déchaîné et il saccage le
palais céleste. Les meilleurs guerriers
de l'Empereur ne peuvent rien contre
lui et subissent la pire des défaites.
En désespoir de cause, l'Empereur de
jade appelle à l'aide la seule personne
qui puisse arrêter Sun : Bouddha
lui-même. Bouddha capture le
Roi singe et l'enferme sous le mont

des Cinq Éléments. Mais il finira par
avoir pitié de Sun Wukong et le délivrera.
Mifei entra alors en scène, sublimement
belle dans sa robe brodée. Elle portait
un diadème aux joyaux étincelants sur la
tête qui plut beaucoup à toutes les filles
de l'assemblée. Elle interprétait le rôle de
la Reine-mère de l'Occident. Mifei, avec
l'aide des musiciens, présenta les différents
instruments d'un orchestre traditionnel.
L'instrument principal est un violon à deux
cordes appelé *jinghu*. Il est accompagné
par deux sortes de guitare. Dans les
opéras chinois, les percussions sont très
importantes. D'ailleurs, le chef de l'orchestre
dirige avec le petit tambour nommé *xiaogu*,
qui joue durant tout le spectacle. Les autres
percussions sont des gongs, des cymbales
et des claquoirs en bois. Pour *Le Roi singe*,
il y a également une trompette, la *suona*, qui

est utilisée pour imiter le hennissement
des chevaux.

Mifei expliqua que chaque geste est dansé,
la position des doigts et des bras ainsi que le
mouvement des yeux obéissent à des règles
précises et varient selon les personnages.
On reconnaît ceux-ci aux costumes qu'ils
portent et, surtout, à leur maquillage. Les
couleurs donnent des informations sur le
personnage. Par exemple, le rouge symbolise
la loyauté et le courage, le bleu, la cruauté,
le blanc, la trahison et le rose, la vieillesse.
Beaucoup d'hommes portent une barbe
accrochée au-dessus des oreilles. Elle sert
à cacher la bouche pour que le spectateur
n'en voie pas l'intérieur quand l'acteur
chante.

L'apprentissage de l'opéra chinois est long
et difficile. Les futurs acteurs apprennent
d'abord l'acrobatie, ensuite la danse et enfin

le chant. La voix n'est jamais naturelle et est très haut perchée, sauf pour le *chou*, qui est un personnage comique, une espèce de clown.

Après toutes ces explications, la troupe du Dragon bleu commença la représentation. On offrit du thé aux spectateurs avec un assortiment de bonbons durs au miel, aux noix ou aux fruits, une friandise appelée *táng*.

Le Roi singe remporta un franc succès. Les bagarres, surtout, furent très applaudies. Les acteurs portaient des armures et maniaient épées et bâtons avec habileté. Les cabrioles et les singeries de Sun Wukong amusèrent beaucoup.

À la fin, alors qu'on faisait un triomphe à la troupe, on servit à chacun un gâteau en forme de croissant, un ***fortune cookie***[17].

17. Fortune cookie *(en anglais) : aussi appelé biscuit chinois, c'est un biscuit de « bonne aventure », dans lequel est inséré un horoscope, un proverbe ou un sage conseil.*

En le cassant en deux,
on trouvait un petit
papier sur lequel était
écrit un message en anglais.
Sur celui de Rajani, il y avait :
« le sage est conscient des
dangers ». Sur celui de Naïma :
« restez fidèle à votre vraie nature ».
Sur celui d'Idalina : « mieux se connaître
permet de s'améliorer ».

    – « Reculer n'est pas une faute », lut
    Alexa sur son papier. Ben, qu'est-ce
    que ça veut dire ?

    – Ça signifie que tu dois m'écouter,
    répondit Rajani, parce que je suis sage
    et consciente des dangers et que toi,
    tu fonces sans réfléchir. Il faut parfois
    savoir renoncer !

Alexa fit une drôle de tête. Idalina demanda
à Kumiko quel était son message.

– « Attendez paisiblement », murmura
Kumiko.

– Bizarre, commenta Naïma. Attendre
quoi ?

Kumiko fit une boule avec le papier et
l'abandonna sur la table.

Chapitre 8

Le ciel et le tonnerre

Les membres de la troupe de théâtre, après s'être changés et démaquillés, rejoignirent les spectateurs pour partager avec eux une tasse de thé et répondre à leurs questions. Mifei s'assit à côté de Rajani et en face de Kumiko.

– J'étudie les arts du cirque, alors j'ai adoré les acrobaties, lui dit Naïma. Liu fait des bonds incroyables !

– C'est énormément de travail, répondit Mifei.

– Vous pouvez nous dire d'où viennent
les phrases dans les biscuits ? demanda
Alexa. Elles sont un peu étranges.

– Ce sont des conseils tirés du Yi King,
le livre sacré des Chinois, expliqua Mifei.
La légende raconte que, il y a six mille ans,
l'empereur Fou-hi se promenait sur
les rives du fleuve Jaune. Un dragon
sortit des eaux et sur son dos se trouvait
un tableau avec des lignes droites et
des lignes brisées. La ligne droite,
c'est le yang, il symbolise le ciel,
l'homme, la lumière. La ligne brisée,
c'est le yin qui représente la terre,
la femme, l'ombre.

– Pourquoi est-ce que la lumière va avec
l'homme ? protesta Alexa. Et que nous,
on a droit à l'ombre ? C'est nul !

Mifei rit silencieusement.

– L'un n'existe pas sans l'autre ! dit-elle.

D'ailleurs, quand on dessine le yin et le yang, on trace un cercle, qui symbolise le monde, et on le sépare en deux parties, une blanche et une noire. Mais au milieu du blanc, il y a un point noir et au milieu du noir, il y a un point blanc. Ce qui signifie que dans l'élément mâle il y a du féminin, et inversement. Tu vois, ce n'est pas si nul…

– Et le livre sacré, de quoi parle-t-il ? s'enquit Idalina.

– Beaucoup de gens pensent que le Yi King n'est rien d'autre qu'une méthode de divination. C'est faux. On l'utilise pour interroger le destin, c'est vrai, mais il ne faut pas le faire juste par curiosité. Le mot *Yi* veut dire « caméléon ». Le Yi King est le livre des transformations. Tout change et se transforme dans la nature, nous y compris. Le changement est inévitable et le Yi King est là pour nous aider à comprendre ce qui nous arrive et surtout à nous comprendre nous-mêmes ! Chacun doit apprendre la voie de la sagesse.

– Comment fait-on pour interroger le destin ? demanda Idalina, très intéressée.

– On procède de manière mathématique. En effet, c'est en combinant les lignes yin et yang qu'on arrive à 64 symboles différents. Pour connaître l'ordre des lignes, on se sert soit de tiges d'achillée, c'est une plante, soit de trois pièces. Les pièces, c'est plus facile... On les jette en l'air et quand elles retombent, elles vous indiquent yin ou yang. On les lance six fois de suite pour obtenir un symbole avec six lignes que l'on appelle un hexagramme. Il suffit ensuite de chercher ce dessin dans le livre.

– Vous avez l'air de bien connaître !
constata Rajani.

– Je l'avoue ! Je suis une experte.

Mifei dévisagea attentivement Kumiko qui
n'avait toujours pas ouvert la bouche.

– Tu es chinoise ?

– Je ne sais pas... murmura Kumiko.

Ses amies se regardèrent, surprises par son
étonnante réponse. Alexa s'apprêtait à dire
quelque chose quand Rajani lui fit « non »
de la tête. Malgré son envie, Alexa s'abstint
de tout commentaire. Elle sourit pour elle-
même en se rappelant la phrase dans son
biscuit. « Reculer n'est pas une faute ».
Tiens ? Le Yi King lui aurait-il déjà mis un peu
de sagesse dans la cervelle ?

– Viens avec moi, mon enfant, dit Mifei
en se levant. Je te sens perdue et je crois
que le Yi King peut t'aider à trouver
le chemin que tu cherches.

Kumiko se contenta d'acquiescer, la gorge soudain nouée. Elle suivit Mifei et, avant de sortir de la salle, elle lui prit la main.

– J'ai manqué un épisode ? demanda Alexa.

– Kumiko est très renfermée en ce moment, répondit Rajani. Elle reste dans son coin et rumine... Je pense qu'elle se pose beaucoup de questions sur ses parents.

Un silence s'établit entre elles. Puis, voyant que les élèves quittaient les lieux, elles décidèrent d'en faire autant. Alors qu'elle allait franchir la porte, Idalina retourna soudain sur ses pas. Elle se dirigea vers la place qui avait été occupée par Singrid, dans le coin le plus éloigné de la scène. Sur la table, elle découvrit le *fortune cookie* à moitié mangé et le papier déplié. Elle s'en empara et lut le message : « agissez sans trop réfléchir ». Oh... ça, ce n'était pas bon... pas bon du tout !

Pendant ce temps-là, Kumiko et Mifei étaient arrivées à la caravane de celle-ci. Elles s'installèrent face à face. Kumiko aspira l'air comme si elle avait du mal à respirer. Et elle raconta toute son histoire à la jeune femme.

– Je comprends, dit doucement Mifei. Tu devrais montrer les dessins du carnet à Maître Wang. Je suis sûre qu'il pourra t'aider.

– Mais c'est mon professeur et je n'ose pas.

– Lui seul saura les déchiffrer si vraiment ils contiennent un sens caché. Moi, je ne le peux pas. En revanche, je peux te transmettre le message du Yi King.

Mifei prit une petite boîte rangée dans un meuble. À l'intérieur, il y avait trois pièces en plastique doré et un livre usé par de

multiples manipulations. Mifei jeta
les pièces six fois de suite. Elle nota
les traits sur une feuille et fit des calculs.
À la fin, elle avait quatre hexagrammes.

– Ton premier signe est celui du ciel et
du tonnerre. C'est le plus important.
Viennent ensuite le lac et le ciel,
le vent et la montagne et enfin
le feu et le ciel.

– Et ça veut dire quoi ?

– Le lac et le ciel t'envoient un avertissement. Toute précipitation te mènerait à l'échec. Ne te décourage pas. Pour prendre la bonne décision, écoute les conseils des vrais amis. Le vent et la montagne t'incitent à faire preuve de souplesse et à t'adapter aux circonstances. N'essaie pas d'aller trop vite car tu te perdrais en route. Mais tiens-toi prête. Le feu et le ciel te disent de t'entourer des bonnes personnes. Tu ne dois pas tout garder pour toi car c'est un fardeau trop lourd à porter. Maintenant, sois attentive. Ce sont le ciel et le tonnerre qui te parlent. N'espère rien car la déception n'atteint pas celui qui n'attend rien. Ne force pas le destin. Reste sereine, patiente et fie-toi à ton cœur.

– En conclusion, je dois attendre, soupira Kumiko. La patience, ce n'est pas mon fort...

– Tu oublies le principal : fie-toi à ton cœur. Tu as de la chance car près de toi se trouvent des personnes dignes de confiance. Elles te soutiendront dans la peine et t'empêcheront de t'égarer sur un chemin qui sera long et difficile.

Kumiko sourit enfin. Oui, elle savait sur qui elle pouvait compter.

Kinra Girls *forever*[18].

---

18. Forever *(en anglais) : toujours, pour toujours.*
Kinra Girls forever *signifie « Kinra Girls pour toujours ».*

Chapitre 9

La dernière bêtise
de Singrid

Kumiko avait passé une bonne nuit,
ce qui ne lui était pas arrivé depuis
longtemps. Elle avait suivi un des
conseils du Yi King : ne pas tout garder pour
elle. Son fardeau était effectivement trop
lourd à porter. Elle le partageait désormais
avec ses meilleures amies. Et son cœur
était plus léger... Idalina pensait que Mifei
avait raison à propos du carnet rouge.

Il fallait demander de l'aide à Maître Wang.
Naïma n'était pas d'accord. Chercher des
indices dans les dessins était un jeu très
amusant. C'était comme dans ces livres
où on doit trouver un petit personnage
caché dans l'image ! La sage Rajani rappela
l'avertissement du Yi King et recommanda
de ne rien précipiter. Elles avaient le temps
de bien réfléchir avant d'agir !

Après le déjeuner, la troupe du Dragon bleu
commença à préparer son départ. Zong Liu
était désolé de devoir partir si vite, mais
la compagnie de théâtre tournait dans
toute l'Europe et ne pouvait se permettre
de prendre du retard.

Miss Daisy attrapa Alexa juste avant que
celle-ci quitte le réfectoire.

   – J'ai une mission à te confier, dit-elle.
   Singrid a un rendez-vous téléphonique
   avec son papa à 17 h 30. Je l'ai prévenue,

mais… je voudrais être sûre qu'elle ne ratera pas son appel. Si ça ne t'ennuie pas, peux-tu veiller à ce qu'elle vienne dans mon bureau ?

– Je vous l'amènerai par la peau du cou si nécessaire, promit Alexa.

Pendant son cours d'équitation, Alexa oublia complètement sa promesse. De retour au château, elle prit une douche, se changea, rassembla ses affaires de classe et rejoignit les autres Kinra Girls pour travailler.

Quand elle entra dans la chambre 325, Idalina faisait de grands signes avec les bras devant la fenêtre ouverte. Elle criait :

– *Zàijiàn ! Màn zou*[19] !

En contrebas, les musiciens et les acteurs de la troupe lui répondirent, ce qui lui fit très plaisir. Alexa s'assit sur un des lits et s'étira. Elle rêvait d'une petite sieste après son entraînement… Elle écarquilla soudain les

19. Zàijiàn ! Màn zou ! *(en chinois) : au revoir ! Bonne route !*

yeux. Elle bondit sur ses pieds en se traitant
d'idiote. Devant l'étonnement de ses amies,
Alexa expliqua qu'elle devait trouver Singrid
au plus vite. Seulement, elle ignorait où était
la Suédoise et il ne lui restait plus qu'une
vingtaine de minutes ! Rajani lui suggéra
de vérifier d'abord dans la chambre de
Singrid. Naïma proposa de descendre à la
cafétéria et Idalina, de se rendre dans la salle
multimédia. Pendant ce temps-là, Kumiko
et Rajani feraient le tour du château.
Alexa grimpa les escaliers quatre à quatre.
Elle frappa à la porte de Singrid à plusieurs
reprises, sans obtenir de réponse.
Sur le point de renoncer, elle eut une idée.
Elle avait encore le passe de Miss Daisy.
Et si… Sans réfléchir davantage, elle prit
la carte magnétique dans sa pochette et
entra. Bon, pas de doute, Singrid n'était
pas là. Le regard d'Alexa dériva vers

le placard, bizarrement grand ouvert.

Un frisson lui parcourut le dos. Elle ne s'attarda pas et fonça comme une folle dans le couloir. Elle déboula dans le hall où Naïma et Idalina venaient juste d'arriver.

– Sin... Singrid s'est enfuie pour de vrai ! haleta Alexa. Elle a emporté une partie de ses vêtements !

– Tu plaisantes ? fit Naïma, interloquée.

Idalina vit le premier camion de la compagnie du Dragon bleu manœuvrer afin de se diriger vers la grille du domaine.

– Je sais où elle est ! s'exclama-t-elle. Vite ! Suivez-moi !

Kumiko et Rajani revenaient de leur tour

du château. Elles virent avec surprise leurs trois amies courir vers Mifei qui s'apprêtait à monter dans sa caravane. Quand elles les rejoignirent, Idalina finissait d'expliquer à l'actrice qu'elle pensait qu'une de leurs camarades s'était introduite dans un véhicule.

– Singrid a perdu sa maman, dit Naïma. Elle fait des tas de bêtises parce que… parce qu'elle a du chagrin. Si le directeur apprend qu'elle a fugué, il va la renvoyer de l'école.

– Je vois, répondit Mifei avec une infinie douceur. Vous l'avez prise sous votre protection. Tsou-fòu ! Viens ici !

Mifei attrapa le petit singe. À son avis, Singrid devait donc être dans un des camions où il était facile de se cacher. Mifei proposa une méthode simple, efficace et pas fatigante pour chercher Singrid. Il suffisait de lâcher

Tsou-fòu dans les camions et il irait droit
là où il sentait la présence de quelqu'un !
Alexa regardait l'heure filer avec inquiétude.
Dans moins de cinq minutes, le papa de
Singrid allait téléphoner… Tsou-fòu n'entra
pas dans le premier camion que Mifei avait
ouvert. Il n'y avait donc rien d'intéressant
dans celui-là. Par chance, le deuxième se
révéla être le bon. Le singe sauta, escalada
les caisses et débusqua Singrid à qui il fit
des câlins.

Rajani mit les poings sur les hanches, prête à se lancer dans un de ses sermons habituels. Elle fut interrompue par Alexa.

– Pas le temps ! Singrid, au pied !

– Je suis pas un chien, grommela cette dernière.

– Et plus vite que ça ! hurla Alexa. Ou tu vas apprendre à quoi ressemble une Australienne en colère ! Et je te garantis que ce n'est pas un joli spectacle !

Elle empoigna Singrid par le bras et la traîna de force en direction du château. Personne n'avait jamais vu Alexa dans un tel état de rage, et même ses amies en furent impressionnées.

– Merci, Mifei, dit Rajani. Sans votre aide, nous aurions vraiment eu des ennuis.

– Ce n'est rien… Maintenant, je comprends ce que voulait nous dire le Yi King. Le ciel et le tonnerre, c'est vous cinq ensemble.

Parce que vous agissez selon votre cœur et que votre conduite est juste et généreuse, la récompense viendra d'elle-même.

– Comment ça ? demanda Naïma. Quel genre de récompense ?

– Je l'ignore. Mais si vous persévérez dans cette voie, en dépit des obstacles qui se dresseront sur votre chemin, ce qui vous attend, c'est bien plus que tout ce que vous pouvez imaginer !

– Moi, je me contente d'avoir les meilleures amies du monde, répondit simplement Kumiko.

– Alors, tu es plus sage que tu ne le crois ! rit Mifei.

Il était, hélas, déjà tard et la compagnie de Zong Liu devait partir. Mifei embrassa les quatre filles. Tsou-fòu s'était réfugié dans les bras d'Idalina et il gémit quand il dut se séparer d'elle. Idalina écrasa une larme sur sa joue et fit au revoir avec la main.

Adieu, Le Dragon bleu…

Alexa avait réussi à ramener Singrid juste avant que son père téléphone. Quand la petite Suédoise ressortit du bureau de Miss Daisy, ses yeux étaient rouges. Elle pleurait toujours quand elle parlait avec son papa. Rajani l'attendait dans le couloir.

– Tu es très fâchée ? demanda Singrid.

– Moins qu'Alexa ! Où espérais-tu aller comme ça ? Tu devais bien te douter qu'on t'aurait trouvée tôt ou tard et qu'on t'aurait réexpédiée à l'école !

– Je ne sais pas pourquoi j'ai fait ça… murmura Singrid.

– Fuir ne fera pas disparaître ta peine, dit Rajani. Où que tu ailles, tu l'emporteras avec toi.

Singrid couvrit son visage avec ses mains.

— C'est trop dur ! sanglota-t-elle.
Rajani passa son bras autour de ses épaules
et la berça.

— Oui, c'est dur… mais je suis sûre que
tu es courageuse. Et nous, nous sommes
là. On ne te laissera pas tomber ! Si tu
pouvais arrêter un peu tes bêtises,
ça nous reposerait…

Singrid sourit à travers ses larmes et promit d'essayer. Les deux filles remontèrent dans la chambre 325. Idalina avait récupéré le sac de voyage dans le camion et le rendit à Singrid. Jusqu'à l'heure du dîner, Singrid resta avec les Kinra Girls et, pour la première fois, elle partagea avec elles les souvenirs qu'elle gardait de sa maman. Et elle se sentit beaucoup mieux.

Ce soir-là, allongée dans son lit, Rajani pensa longtemps à Singrid et à Kumiko. Il lui revint en mémoire une phrase qu'elle avait lue dans un conte indien : « C'est au plus noir des nuits que germent les aurores. »

Alors, peut-être que le Yi King avait raison.

Il suffit parfois d'attendre.

Car le soleil renaît toujours.

Histoire à suivre...

VOCABULAIRE

Beijing kaoya (en chinois*) :
canard laqué, spécialité de Pékin.

Buongiorno, signore (en italien) :
bonjour, monsieur.

Che cosa ? (en italien) :
quoi ? (che se prononce « kè »).

Chou :
dans l'opéra chinois, personnage
comique, sorte de clown.

Duìbuqi (en chinois*) :
pardon.

Forever (en anglais) :
toujours, pour toujours.

Fortune cookie (en anglais américain) :
aussi appelé biscuit chinois,
c'est un biscuit de « bonne aventure »,
dans lequel est inséré un horoscope,
un proverbe ou un sage conseil.

Jinghu (en chinois*) :
sorte de violon à deux cordes.

Ni hao ! Nimen hao ! (en chinois*) :
bonjour ! Bonjour à tous !

Shifu. Ni hao ma ? (en chinois*) :
Maître. Comment vas-tu ?

Signorina (en italien) :
mademoiselle.

Suona (en chinois*) : sorte de trompette.

Táng (en chinois*) :
bonbons durs au miel, aux noix
ou aux fruits.

Tsou-fòu (en chinois*) : grand-père paternel.

Wàimian feicháng leng (en chinois*) :
il fait très froid dehors.

Xiaogu (en chinois*) : petit tambour.

Zàijiàn ! Màn zou ! (en chinois*) :
au revoir ! Bonne route !

Zhè shì yì shi daomángquan
(en chinois*) : c'est un chien d'aveugle.

* En chinois standard basé sur le dialecte mandarin de Pékin.

L'OPÉRA CHINOIS

L'opéra chinois est un art théâtral très ancien qui trouve sa source au XIIIe siècle (voire au VIIIe siècle !) et où se mélangent la parole, la danse, l'acrobatie, le chant et la musique.

Les rôles des comédiens sont divisés en quatre groupes. Les *sheng* sont des rôles d'homme où l'on trouve notamment les jeunes premiers et les guerriers. Les *dan* sont des rôles féminins ; jusqu'au XXe siècle, ils étaient joués par des hommes. Les *jing* sont des personnages au caractère fort, qui peuvent être des bandits ou des juges. Les *chou* sont les clowns. Chaque acteur est capable de jouer avec une grande précision des rôles aux gestes très codifiés : démarche, mouvement des bras ou des yeux, rire...

La formation pour intégrer l'Opéra est difficile : les enfants commencent souvent l'entraînement dans des écoles spéciales à partir de 8 ans.

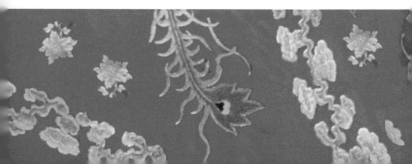

© Fotolia/shupian

Les visages des comédiens, autrefois cachés derrière
des masques, sont aujourd'hui peints. Les
couleurs utilisées ont une signification.
Le rouge correspond à la loyauté,
le blanc à la ruse, etc. Les costumes
colorés sont ornés de longues
manches flottantes avec lesquelles
l'acteur indique aux musiciens qu'il va
commencer à chanter. Dans l'orchestre,
les percussions accompagnent les voix et les gestes
des acteurs.

Rien n'est laissé au hasard, l'opéra chinois est
une véritable œuvre d'art !

© Fotolia/wrkdesign

LE CODE MuLLEE MuLLEE

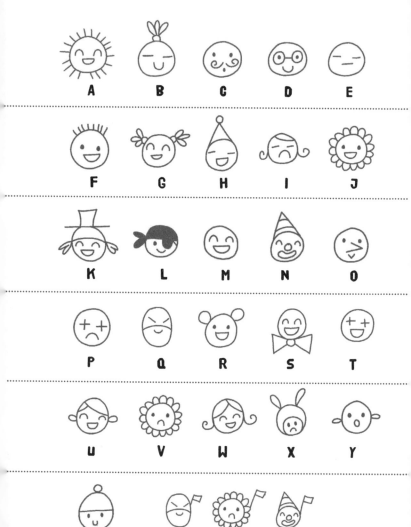

La présence d'un accessoire (drapeau, étoile, fleur...) indique le début d'un mot.

Au secours

Danger

Tout va bien

Bora = réunion secrète.

Borakawa = rendez-vous au moulin.

0% = attention, les pestes sont dans le coin.

faire un clin d'œil 2 fois de suite :
SUIVEZ-MOI !

Se mettre un doigt dans le nez :
PESTES EN VUE !

Se tirer l'oreille :
ATTENTION ! Quelqu'un nous écoute !

Se gratter le haut du crâne comme un singe :
BORA

Tirer la langue en serrant le cou :
AU SECOURS ! J'ai été empoisonnée !

S'enfuir en courant :
UN CROCODILE ME COURT APRÈS !

Se frotter le ventre avec une main,
l'autre main sur la hanche :
J'AI VU QUELQUE CHOSE D'INTÉRESSANT
(comme le chat fantôme...)

PLAN DU DOMAINE

Les écuries

Le kiosque et le labyrinthe

Le cirque

L'Académie Bergström

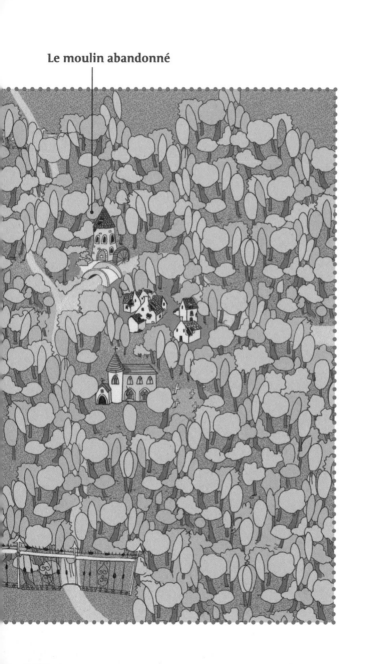

Le moulin abandonné

L'ACADÉMIE BERGSTRÖM

Les Kinra Girls sont **5 filles** venues des **4 coins du monde.**

Kumiko, la Japonaise, **Idalina,** l'Espagnole,
Naïma, l'Afro-Américaine, **Rajani,** l'Indienne,
et **Alexa,** l'Australienne, se rencontrent
à l'Académie Bergström, un collège international
qui accueille des élèves talentueux du monde entier.

Ces 5 filles aux cultures si différentes vont vivre ensemble des moments exceptionnels.

Au fil de leurs multiples aventures, elles vont s'ouvrir au monde, découvrir les **cultures** des autres pays, apprendre à respecter leurs **différences** et devenir inséparables.

DÉCOUVRE LES CINQ HÉROÏNES AVANT LEUR RENCONTRE

k **i** **n** **r** **a**

Découve l'histoire de chacune de nos amies
avant leur rencontre dans l'Académie internationale Bergström.

PUIS SUIS LES AVENTURES DES KINRA GIRLS

Kumiko, Idalina, Naïma,
Rajani et Alexa
deviennent amies.

Une étrange histoire
de chat fantôme court
à l'Académie Bergström...

Les Kinra Girls
trouvent un
passage secret.

4

Les Kinra Girls découvrent un cimetière abandonné.

5

Nos cinq amies partent pour le Japon. Les catastrophes s'enchaînent...

6

Où se trouve la clé d'or qui ouvre toutes les portes ?

7

Idalina serait-elle amoureuse ?

8

Les Kinra Girls courent un terrible danger dans le village abandonné.

9

Les Kinra Girls vont-elles enfin découvrir le trésor ?

10

Les Kinra Girls partent pour les vacances de Noël et décident de s'écrire...

11

Une compagnie d'opéra chinois débarque au château.

TOME 12
À PARAÎTRE
(juin 2014)

Lili Chantilly
a 11 ans et rêve de devenir styliste...

Elle a une tonne d'idées, de l'or dans les doigts et vient d'entrer en sixième à l'École Dalí.

Elle a un père grand reporter, qu'elle adore mais qu'elle ne voit pas souvent. Une nounou aimante, qui cuisine des plats marocains sensationnels. Un ami pas ordinaire sur lequel elle peut toujours compter. Et un grand vide dans le cœur, parce qu'elle n'a jamais connu sa maman.

Découvre notre Lili aussi drôle que têtue et suis-la au fil de ses aventures...

Tome 1

Depuis toute petite, Lili adore dessiner, créer et veut devenir styliste. Mais sa mère n'est pas là pour la soutenir et son père s'y oppose.

Tome 2

Après avoir réussi son concours de mode, Lili entre en sixième au collège Dalí, une école d'art. Mais la rentrée n'est pas de tout repos...

Tome 3

Un défi est lancé à la classe de Lili : organiser un défilé de mode !

C'est les vacances de la Toussaint ! Lili passe beaucoup de temps aux écuries avec son ami Pony, mais les pestes

Tome 4 ne la laissent jamais tranquille...

À PARAÎTRE (avril 2014)

Rejoins-nous sur

www.lilichantilly.com

ISBN : 9782809650846
Dépôt légal : janvier 2014.
Imprimé en Chine.

Loi n° 49-956 du 16 juillet 1949 sur les publications destinées à la jeunesse.

Textes et illustrations reproduits avec l'aimable autorisation de Corolle.

Mise en page : Isabelle Southgate.
Mise au point de la maquette : Cédric Gatillon.
Roc Prépresse pour la photogravure.

Nous tenons à remercier pour leur contribution à cet ouvrage :
M. Bellamy-Brown ; C. Bleuze ; J.-L. Broust ; G. Burrus ; S. Champion ;
N. Chapalain ; S. Chaussade ; A.-S. Congar ; M. Dezalys ; E. Duval ; M.-S. Ferquel ;
D. Hervé ; M. Joron ; A. Le Bigot ; B. Legendre ; L. Maj ; K. Marigliano ; A. Matton ;
C. Onnen ; L. Pasquini ; C. Petot ; C. Schram ; M. Seger ; V. Sem ; N. Tran ; S. Tuovic ;
K. Van Wormhoudt ; M.-F. Wolfsperger.